TEXTE : GILBERT DELAHAYE
IMAGES : MARCEL [

martine
dans la forêt

casterman

Aujourd'hui, la moisson se termine. Martine aide le fermier à engranger la paille. Elle s'assied un instant pour se reposer lorsqu'un petit nez rose, frémissant, attire son attention. C'est un minuscule lapin de garenne, paralysé par la peur. Seule sa tête dépasse de la botte de paille qui l'emprisonne. — Pauvre petit lapin, dit Martine en le libérant. C'est vraiment un miracle! Comment as-tu pu échapper aux couteaux de la machine? N'aie plus peur maintenant, je t'emmène à la maison. Je t'appellerai Pinpin.

— Comme il est mignon, dit maman. Mais, j'y pense, il doit avoir faim !

— Je vais chercher un biberon, suggère Martine. Celui de ma poupée fera sûrement l'affaire.

Pinpin grandit rapidement. Martine s'amuse follement avec son nouvel ami. Pinpin ne la quitte plus.

David et Sophie, les petits voisins de Martine, veillent tous les jours au ravitaillement de Pinpin : pissenlits, cosses de pois, épluchures de pommes...

— C'est curieux, le bout de son oreille est bleu, remarque Sophie. Tu aurais dû l'appeler Bleuet !

— Pinpin me paraît bien triste aujourd'hui, observe David.

— C'est vrai, acquiesce Martine. Je commence à m'inquiéter : depuis quelques jours, il a perdu l'appétit, il a le poil terne, ne se lave plus et ne veut plus jouer !

— Je crois qu'il a besoin de grand air, remarque Sophie.

— Ce n'est pas un lapin domestique, c'est un lapin de garenne, renchérit David, il ne supporte pas la captivité. Il faudrait lui rendre la liberté.

— Je sais, dit Martine, mais je ne peux pas le relâcher n'importe où ! Grand-père m'a souvent rappelé que quand on s'occupe d'un animal, on en devient responsable !

Après le déjeuner, Martine prend résolument la direction de la forêt.
A la lisière du bois, un remue-ménage attire son attention :
— Regarde, Pinpin ! C'est la ronde des mésanges ! Chaque année, à
cette époque, elles se réunissent en bandes : mésanges charbonnières,
mésanges bleues, mésanges nonnettes, mésanges huppées... même
les roitelets participent à la ronde !
Ensemble ils ratissent les taillis et se gavent de petits insectes ! N'est-ce
pas merveilleux ? Comme tu vas te plaire ici ! Tu vois la vieille barrière
au bout du sentier ? C'est là que commence la forêt !

Le geai, ce braillard, qui
voit tout, entend tout,
aperçoit Martine le premier.
— J'ai vu un chasseur ! Il a l'air
féroce : il a déjà capturé un lapin !
clame-t-il à qui veut l'entendre.
La forêt tout entière s'immobilise :
— Cachons-nous ! dit le renard.
— Fuyons ! dit la biche.
— Mais non, ce n'est pas un
chasseur, rassure le rouge-gorge.
C'est Martine ! Je la connais bien !

8

Elle m'offre toujours de délicieux
vers de terre, au printemps,
lorsqu'elle bêche le jardin.

— C'est vrai, renchérit la mésange.
L'hiver, elle nourrit les animaux,
avec du lard et des graines.

Le tintamarre se calme
peu à peu.
— Fausse alerte!
jacasse le geai.
C'est une amie,
n'ayez crainte!

— Suivons le ruisseau, propose Martine.
De cette façon, nous ne risquons pas de nous
égarer. Attention, ça glisse !
Regarde, Pinpin ! dit Martine au comble de
l'excitation. Des empreintes de blaireau :
on raconte qu'une nuit un blaireau est
descendu au village pour piller toutes
les vignes et se gaver de raisins !
Avec sa truffe noire et son gros der-
rière, le père Martin l'avait pris pour
un ours ! Il a eu très peur.
Et là, ces traces dans la vase, je les
reconnais ; Grand-père m'a montré
les mêmes dans le poulailler l'année dernière ; c'est une belette.
Elle profite de la nuit pour égor-
ger les poulets ! Ne restons pas ici,
c'est un animal dangereux pour
les petits lapins !

— Quand je songe aux dangers que tu aurais courus si je t'avais laissé ici, j'en ai froid dans le dos!
Éloignons-nous vite, et surtout, ne te retourne pas: un chat sauvage nous observe!

11

— Peut-être pourrions-nous nous arrêter ici, propose Martine.
A peine a-t-elle prononcé ces mots qu'une harde de sangliers surgit de la souille en poussant des grognements. Martine et Pinpin se précipitent vers le tronc d'arbre qui enjambe la rivière.
— Avance, Pinpin! Plus vite! Ils ne nous suivront pas ici!

— Ouf, nous voici de l'autre côté.

— Eh bien, je ne pensais pas qu'il serait si difficile de te relâcher dans la nature, soupire Martine un peu découragée.

Martine et Pinpin obser-
vent attentivement une
petite flamme rousse : un
écureuil, queue troussée,
empanachée, grignote un cône.
Soudain, l'animal lâche sa
pomme de pin et disparaît dans les
cimes. Dans le coupe-feu, un groupe
de chasseurs progresse. Sans perdre
un instant, Martine s'enfuit dans la direction
opposée.

Essoufflée, elle débouche dans une clairière où s'ébattent biches et cerfs. C'est la saison des amours. Le grand cerf aux bois puissants, renversant la tête en arrière, brâme aux quatre vents. Autour de lui, les biches frissonnent.

— Sauvez-vous ! Sauvez-vous ! Les chasseurs arrivent ! crie Martine.

En un clin d'œil la harde se disperse et s'évanouit dans la nature.

— Décidément, la forêt est un endroit bien dangereux pour un petit lapin comme toi, observe Martine, qui commence à désespérer de trouver le lieu idéal.

Soudain, un ronronnement lointain lui fait tourner la tête. C'est Julien le bûcheron qui travaille sur la zone d'abattage.

— Si nous allions lui demander conseil? propose Martine. Il connaît bien la forêt, il pourrait nous indiquer un endroit propice. Allons-y!

— Tiens, mais c'est mon amie Martine! Que fais-tu donc ici? demande Julien. Je dois te gronder! Ce n'est pas bien prudent de te balader ainsi toute seule.

— Je cherche un coin sans danger pour y relâcher mon ami Pinpin, dit Martine qui lui raconte toute l'histoire.

— Je connais un bon endroit, à la corne du bois, dit Julien après réflexion. Grimpe sur le tracteur si tu n'as pas peur. Ma journée est presque terminée, je t'y déposerai en rentrant au village.

En chemin, Julien explique à Martine :

— Ce qu'il faut à ton lapin, c'est une garenne, où il pourra retrouver d'autres lapins.

17

— Regarde ces terriers ! Et il y a même des mûres ! Tu vas te régaler.
C'est l'endroit rêvé, s'émerveille Martine.

Martine a déposé Pinpin sur une souche. Elle lui fait ses dernières recommandations :
— Surtout, sois prudent, Pinpin. Ne t'aventure plus dans la forêt. Évite le grand-duc et le faucon, méfie-toi de l'épervier, de la fouine et du putois, et aussi du renard ! Je reviendrai te voir, c'est promis !

Le soir tombe. Martine doit reprendre le chemin de la maison. Pinpin, immobile, la regarde s'éloigner.
En dépassant Martine à l'orée du bois, à la lisière des champs, Julien lui a fait promettre de rentrer au plus vite à la maison, avant la tombée de la nuit.

Quelques mois plus tard, un matin de décembre, Martine reprend le chemin de la garenne. La nature frissonne sous son manteau de givre. Les bûcherons ont allumé un brasero et plaisantent autour du feu.

Martine poursuit son chemin. Les feuilles gelées craquent sous ses pas.

— Pinpin! Pinpin! appelle Martine. Effrayée par ses cris, une ribambelle de lapins se disperse dans la garenne. Martine a cru entrevoir un petit bout d'oreille bleue entre les hautes herbes.

— Il aurait quand même pu me dire bonjour! pense Martine un peu déçue. Et puis tant pis! Je ne vais pas pleurer pour un petit lapin de rien du tout!

Imprimé en Belgique par Casterman, s.a., Tournai. Dépôt légal: octobre 1987; D. 1987/0053/126.
Déposé au Ministère de la Justice, Paris (loi n° 49.956 du 16 juillet 1949 sur les publications destinées à la jeunesse).